Dans la même collection

Découvrez aussi le spécial Oxygène de 256 pages, intitulé :
Un grand bol d'Oxygène, 160 questions strictement réservées aux ados
pour retrouver des éléments de réponse
à un grand nombre de questions que vous vous posez.

C'est vraiment comme ça les garçons?

FOPLA / AABPO

À mon fils Gaspard, un garçon pas comme les autres…

Et à Franck, Johan, Clément, Léo, Sébastien,
Jules, Romain, Marceau, Paul et César.

C'est vraiment comme ça les garçons ?

David Pouilloux
Illustrations **Frapar**

De La Martinière

Jeunesse

Les garçons et...

C'est quoi, la vie des garçons ?

La vie des garçons, ce n'est pas la vie des filles. Et l'avis des garçons, ce n'est pas forcément, pas souvent, ou pas exactement l'avis des filles. D'où l'envie d'écrire un livre sur vous, les garçons, mais pas rien que pour vous. Ce livre, qui plonge dans vos têtes et dans vos cœurs de garçons, s'adresse à tous ceux mais aussi à toutes celles qui veulent mieux vous connaître, pour mieux vous comprendre. Pourquoi avez-vous autant de mal à dire je t'aime ? Comment ça se fait que vous aimez tant être en bande ? Est-ce que c'est la honte de pleurer quand on est un mec ? Pourquoi le muscle a-t-il autant d'importance pour vous ? Aimez-vous autant la baston qu'on le dit ? C'est combien la bonne taille de zizi pour être un homme, un vrai ? Comment séduire les filles à coup sûr ? Est-ce qu'il existe des trucs pour faire plus homme ? Vous trouverez dans les pages qui suivent des réponses à ces questions, bien sûr, mais surtout, vous vous retrouverez à l'intérieur. Car ce livre raconte avant tout ce que vous ressentez, ce que vous pensez, ce qui vous pose problème, ce qui vous angoisse, ce que vous vivez avec ce corps et ce cerveau en pleine métamorphose à l'adolescence… Il parle de vous, les garçons, et tente de dire comment vous êtes vraiment à tous ceux qui s'intéressent à vous. Les filles ? Elles sont là aussi, un peu. Car elles ont toujours un avis à donner sur votre vie…

« Moi, pour faire plus mec,
je mets douze tee-shirts
les uns sur les autres ! »

Les trucs qui font homme

Vous êtes un garçon, ça, c'est sûr. Vous allez devenir un homme, ça aussi, c'est sûr. Et ce qui est presque aussi sûr, c'est que vous avez envie de passer dans l'autre camp le plus vite possible ! Vous êtes impatient, car vous imaginez qu'une fois dans votre peau d'homme vous serez plus sûr de vous qu'aujourd'hui et plus à même de vous défendre tout seul en cas de besoin. Le gros hic, c'est que perdre cette fichue peau de bébé et gagner une peau d'homme, ça prend du temps, au minimum une bonne dizaine d'années, toute l'adolescence. Or, quand on est un ado mâle, pour en imposer aux yeux des copains de sa bande, pour attirer le regard des filles ou pour se faire respecter, il est important de faire homme, justement, avant même d'en être un vraiment.

Pour paraître plus homme, vous avez bien sûr des trucs qui font mec, des trucs que vous piquez en général aux « grands ». Et avec ce corps qui manque encore de muscles et de poils, vous travaillez en premier votre apparence, votre look. Il vous faut une tenue d'homme. Costard cravate? Non, évidemment. Vous voulez faire homme, mais, avant tout, vous tenez aussi à vous habiller comme les autres gars de votre génération. Histoire de montrer que vous appartenez à la même planète que vos potes et que vous vivez à la même époque. Le truc? Vous abandonnez donc la jolie petite chemise à carreaux de votre enfance, et vous enfilez illico presto le même jogging ou le même maillot de sport que vos vedettes sportives préférées : Thierry Henry, Zinédine Zidane, Tony Parker. Bonne pioche pour faire mec? Ben non. N'importe quelle fille vous le dira : un jogging ou un maillot de sport, ça fait sport, oui, mais ça fait surtout anonyme (des millions d'êtres humains ont les mêmes), négligé (ça n'a pas de forme) et pas sexy (vous masquez votre corps sous les plis).

Pas de jogging? OK, alors vous foncez sur la tenue camouflage qui fait bien guerrier! Ça fait homme, ça? Bof. Les filles trouvent que c'est plutôt le signe d'un manque de goût et de finesse. Choisissez plutôt un vêtement qui vous plaît vraiment, qui est un peu original (que tout le monde n'a pas, et pas que personne ne voudrait porter!) et plutôt classe. Une façon de sortir du lot, une façon d'attirer les regards sur vous, sur votre corps. Les filles? Elles penseront : il fait des efforts pour nous plaire et il ose mettre des trucs que les autres n'osent pas mettre… Vous voulez impressionner votre monde? Ne vous noyez pas dans la masse en mettant les mêmes vêtements que tous les autres garçons. Dégotez le blouson qui tue, le tee-shirt qui arrache, le pantalon qui fait mouche, la chemise qui rendra vertes de jalousie les stars de Hollywood. Son prix n'a pas d'importance, mais son côté unique, si.

Mais alors pourquoi un champion fait-il si mec quand il porte un jogging? En fait, c'est en dessous que cela se passe. Là, on n'est plus dans l'apparence. Il ne fait pas homme grâce à son jogging, mais grâce à ce qu'il dégage. Son truc? Il est super à l'aise avec son corps et il a confiance en ses capacités d'homme (le muscle, ça donne confiance). En particulier, quand il faut se faire respecter, si ça « chauffe », il répond présent. Un homme sait mettre un terme à un conflit, soit avec humour, soit avec sérieux, soit, il faut bien l'avouer, de temps en temps avec ses poings. Vos héros qui font si homme ne prennent pas la fuite en cas de grabuge!

Et beaucoup de filles vous le diront : les bagarreurs, les chercheurs de noises, les mecs violents, elles n'aiment pas, mais un mec qui ne se laisse pas marcher sur les pieds, qui sait faire de son corps un rempart, elles apprécient. Elles se disent que dans ses bras, on doit se sentir protégé, que l'on ne risque plus rien. Dans une société aussi agressive que la nôtre envers les femmes, plus encore que le muscle, le courage physique d'un homme est toujours un atout qui attire.

À côté du jogging et des muscles, dans votre panoplie pour faire homme, vous faites souvent une belle place à un vocabulaire qui n'est pas du grand Molière. Un garçon qui parle bien mec, c'est un garçon qui emploie des gros mots à tout instant, ça fait cool, pensez-vous. La preuve : entre vous, avec les copains, c'est à celui qui dit les trucs les plus grossiers. Le gros mot serait à l'homme ce que la balle est à la mitraillette : indispensable. Et hop, dès qu'une fille vous plaît, vous lui mitraillez les tympans. Que vous lui racontiez vos vacances ou le dernier film que vous avez vu, elle a droit à un récit truffé de gros mots ! Pas de chance. Les filles n'apprécient pas toujours la grossièreté. Une petite grossièreté, ça passe, ça peut être marrant, mais à la longue, c'est lourdingue ! Et observez les dons Juans du collège. Quand ils s'approchent des filles, ils changent immédiatement de registre de vocabulaire. Malins, ils pèsent bien leurs mots, ils les choisissent légers, c'est-à-dire doux et surtout petits : des mots doux et des petits mots.

Bon, pas de jogging, pas de gros mots, alors qu'est-ce qu'il vous reste ?

Jouer le macho de service ? Essayer de montrer à une fille que vous lui êtes supérieur en tout, sport, intelligence, humour, culture ? C'est un « vent » assuré ! Une fille a envie de se sentir valorisée, pas démolie !

La carte de l'humour? Oui, oui, mais attention. Se démolir soi-même, jouer la carte de l'autodérision, style : « Tu connais le gars le plus bête et moche de la galaxie? Eh bien, surprise, c'est moi! »? Là non plus, vous ne mettez pas dans le mille. Faire homme, c'est aussi savoir se valoriser, montrer que l'on a des idées intéressantes et que l'on fait des choses originales. Dire que vous êtes nul, vous rabaisser, mettre en avant vos complexes, même pour rire, c'est un peu un tue-l'amour naissant. En fait, depuis la nuit des temps, les filles sont surtout séduites par les hommes qui ont confiance en eux ou qui leur font croire habilement qu'ils ont confiance en eux. Paraître ou ne pas paraître un homme, telle est la question... Se donner l'air d'un homme est difficile, mais ça vaut le coup! En attendant d'en être un, un vrai, un jour.

« Tu fais quoi, toi, avec ta copine??
– Environ du 50 km/h... »

Le corps des filles

Personne ne vous l'a dit, mais l'une des plus grandes différences entre vous et les filles, c'est que vous n'avez pas du tout la même appréciation de la vitesse. Pour vous, ça ne va jamais assez vite. Pour les filles, ça va toujours trop vite. Quel rapport avec le corps des filles, sujet de cette partie ? Celui-ci : dès qu'un garçon sort avec une fille, il veut tout faire le plus vite possible (glisser ses mains un peu partout, l'embrasser un peu partout, etc.), alors que la fille préférerait que cette exploration corporelle se fasse à une allure moins vertigineuse ! En clair, pour les caresses, les garçons ont envie d'aller à 300 à l'heure, alors que les filles apprécient davantage le 3 à l'heure ! Ce décalage fille/garçon s'explique de plusieurs façons. Le désir des garçons vient souvent très vite, en quelques minutes. Et votre désir peut venir même si vos sentiments ne sont pas très forts. Le désir des filles met plus de temps à s'installer quand vous faites un câlin. Et puis, pour vous désirer vraiment, elles ont souvent besoin d'éprouver des sentiments intenses, d'être très amoureuses, afin d'avoir totalement confiance en vous. Alors que vous, dès le premier jour, poussé par votre désir, vous voulez tout faire! Mais le désir de votre copine n'est peut-être pas encore là et elle n'a donc pas forcément envie d'aller aussi loin que vous.

Autre origine de ce décalage : chez les garçons, la pression des copains est incroyable. Il y a une forme de compétition entre vous, et c'est évidemment à qui ira le plus vite, le plus loin avec sa copine, quitte à se comporter comme un goujat et à passer pour un obsédé. Et si vos copains ne vous mettent pas la pression, c'est vous qui le faites en vous disant : « Il faut que je lui montre que je suis un homme, sinon elle va me prendre pour un nul! » Et au lieu d'être vous-même, de faire selon vos envies, vous essayez de jouer un rôle dans lequel vous n'êtes pas à l'aise : le rôle du mec qui a de l'expérience!

Que faut-il faire alors? Ralentir la cadence, d'abord, et comprendre deux ou trois choses. La première, c'est que la plupart des filles ne sont pas super à l'aise avec leur corps. Elles se trouvent trop grosses, trop maigres, elles pensent ne pas avoir assez de poitrine, trop, elles trouvent leur corps flasque, sans forme, leur peau grumeleuse, etc. Difficile d'offrir quelque chose que l'on n'aime pas trop. Et puis sur-tout, comme vous, elles encaissent le choc de la puberté, avec son lot de métamorphoses physiques hallucinantes. Leurs seins se développent, leurs hanchent s'élargissent, des poils poussent ici et là, des boutons pointent à droite et à gauche, leurs règles déboulent plus ou moins régulièrement. Avec ce corps en plein chantier, ce n'est pas évident d'accueillir un visiteur super curieux comme vous, surtout quand il veut toucher les parties les plus intimes de leur corps. Elles préfèrent attendre que tout soit bien installé pour vous proposer une visite plus complète.

La seconde chose à retenir, c'est que vouloir faire ça, puis ça et après ça avec le corps d'une fille est une façon de la considérer uniquement comme un objet. Autrement dit, vous l'utilisez pour satisfaire votre plaisir et votre curiosité, sans trop penser à ce qu'elle peut ressentir. Est-ce qu'elle apprécie vraiment ce que vous lui faites ? Ou se laisse-t-elle faire pour ne pas passer pour une gourde coincée, ou par peur de se faire larguer si elle vous refuse ce que vous demandez ?

Pour dissiper les malentendus, pour trouver la bonne vitesse pour découvrir son corps, la vitesse qui vous convient à tous les deux, il n'y a qu'une recette qui marche : la discussion. « Si je vais trop vite, tu me le dis… » Un tout petit dialogue comme celui-là est une marque de respect et il installe la confiance entre vous. Vous avancez ensemble, au bon rythme. Mais ne passez pas votre temps à lui demander si elle aime cette caresse-là ou pas, parfois un geste d'elle suffit à vous le faire comprendre. Quand votre main qui descend rencontre sa main qui vous dit de remonter, c'est le signe qu'il faut ralentir. Vous êtes à 300 à l'heure.

« Je vais t'expliquer tout ce que je pense de toi poing par poing, d'accord ? »

La bagarre

Un extraterrestre qui poserait sa soucoupe dans un collège en pleine récréation constaterait illico une chose : la bagarre, c'est un truc de mecs. Et le rapport qu'il rédigerait à son retour sur sa planète ressemblerait sûrement à ça : « Les jeunes individus mâles ont un goût pour la bagarre que l'on ne retrouve pas – ou presque pas – chez les individus femelles. De plus, après s'être livrés toute la journée à la baston, les jeunes mâles rentrent chez eux pour jouer à des jeux vidéo où la bagarre est le mode d'expression favori des personnages. Pire encore : le soir, ils adorent regarder des films où les héros échangent plus de coups de pied et de coups de poing qu'ils ne prononcent de mots ! Autre constat terrifiant : avant de s'endormir, ils dévorent souvent quelques pages de bande dessinée bien cognante et bien saignante ! »

Mais d'où vient donc ce goût de la castagne chez les garçons ?

Longtemps, les scientifiques ont expliqué ce phénomène ainsi : vous fabriquez vingt fois plus de testostérone que les filles ! Autrement dit, cette hormone, l'hormone de la virilité, l'hormone mâle par excellence, vous pousserait au combat à tout bout de champ.

Bref, vous seriez biologiquement armé dès le bac à sable pour donner des gnons. Mais il y a un problème avec cette théorie. Première chose, les filles aussi se fichent des raclées à la récré. Certes moins souvent que les gars, moins violemment que les gars, mais quand même. Une étude montre ainsi que sur dix bagarres, chez les moins de 16 ans, environ sept se font entre garçons et trois entre filles. Ensuite, que fait-on des garçons qui n'aiment pas se battre ? Ils ont pourtant un bon flot de testostérone qui circule dans leurs veines, non ?

En fait, ce goût pour la bagarre ne vous vient pas aussi naturellement que ça. Une autre explication se trouve du côté de l'histoire avec un grand H. Depuis la nuit des temps, dans toutes les civilisations, les hommes se battent, font la guerre, rivalisent, pour conquérir des territoires, mais aussi pour le plaisir d'asseoir leur domination sur les autres mâles du clan, du village, du pays. « C'est moi le plus fort ! », c'est vieux comme le monde. La violence et le combat font partie de la culture masculine depuis des millénaires.

Mais au-delà de vos hormones mâles et de la culture masculine, c'est votre éducation qui fait de vous un fan de baston. Si papa, grand-papa et tonton vous ont martelé depuis vos premiers « areuh » qu'un gars, ça se défend avec les poings, pas avec les mots, ce n'est pas super étonnant que vous ayez des bourre-pifs à distribuer quand une discussion tourne au vinaigre ou qu'un imbécile vous provoque du genre « Eh! tronche de cake aux olives, t'as une tête qui ne me revient pas! » Ensuite, quand vous avez envie de vous défouler, on vous propose rarement un tutu style Billy Elliot, mais plutôt des gants de boxe ou un kimono. Si l'on ajoute le fait que le cinéma, la télé, la BD, les jeux vidéo vous proposent à haute dose des héros masculins agressifs et violents, on peut dire que vous êtes franchement bien préparé pour la castagne. Et même si vous n'êtes pas du genre bagarreur, si vous êtes plutôt du genre diplomate avec les provocateurs (« tu sais, c'est pas bien de te moquer de mon acné en me traitant de tronche de cake aux olives... »), vous êtes tout de même obligé de pratiquer un minimum la bagarre.

Pourquoi? Pour ne pas passer pour un lâche et surtout pour avoir la paix. Si vous vous laissez taper sans rien dire, vous le savez, c'est le rôle de souffre-douleur qui vous attend. Un garçon qui ne sait pas se faire respecter se fait tabasser dix fois plus. Car les costauds sont aussi parfois des lâches qui s'en prennent au plus faible.
Ainsi, l'éducation que l'on vous a donnée et les modèles que l'on vous propose vous prédisposent à

aplatir le nez de vos rivaux pour montrer ce que vous valez. Mais ce besoin d'en découdre n'est pas seulement un moyen de marquer son territoire, c'est aussi souvent un moyen d'exprimer une souffrance. À l'adolescence, des bouleversements profonds sont en route, sur les plans physique et psychologique. Vous vous demandez quelle tête vous aurez plus tard : serez-vous beau ou pas? Vous vous inquiétez aussi pour votre avenir : aurez-vous un job sympa ou nul? Vous vous interrogez aussi tout bêtement sur le sens de la vie : à quel âge vais-je rencontrer le grand amour? Toutes ces questions vous angoissent, vous vous sentez vulnérable et vous souffrez. En tant que garçon, vous n'avez pas toujours les mots qui viennent pour exprimer tout ça et la bonne personne pour vous écouter.

Depuis que vous êtes mioche, on vous a surtout appris à vous exprimer dans l'action et sûrement pas à exprimer vos états d'âme oralement, comme le font assez aisément les filles. Se confier aux parents? Pas facile, dans une période où justement vous essayez de couper le cordon. Aux copains? Pas sûr que dans votre bande de potes, votre souffrance puisse s'exprimer librement. Alors, pour évacuer votre colère, votre chagrin, vos angoisses, il y a la bagarre. Finalement, quand on est un garçon, se battre, c'est une façon de s'affirmer, de montrer que l'on existe, de montrer aux autres ce que l'on vaut avec son corps, quand on ne sait pas encore trop le faire avec son esprit.

Vos bleus sur le corps sont ainsi souvent des bleus à l'âme que vous n'exprimez pas par des mots ou par des larmes. Pourtant rien ne vous empêche de le faire. Et si vous n'aimez pas vous bagarrer, céder à la violence, si vous préférez discuter, débattre, esquiver les provocations, ce n'est pas être faible ou lâche, c'est être plus intelligent que le provocateur. Et quand c'est en vous que l'envie de vous battre avec tout ce qui bouge gronde, ne pas vous bagarrer, c'est être plus fort que votre propre violence. En ne cédant pas à cette violence qui vous habite, vous respectez l'autre en ne lui imposant pas ce dont il n'a que faire et qu'il n'a aucune raison de subir. On se grandit toujours à ne pas être faible avec soi.

> « Je veux être danseur, j'ose pas le dire à mes potes !
> – Et ton père, il le sait ? »

Leur côté féminin

Devinette. Il lui arrive de pleurer de temps en temps sans en avoir honte. Il n'aime pas spécialement le sport et pas du tout les sports de combat. Les jeux vidéo où l'on refroidit un ennemi par minute le laissent de glace. Il préfère la compagnie des filles à celle des garçons. Il remplit son agenda de petits poèmes et étale ses sentiments dans son journal intime. Il adore se pomponner pendant des heures. Qui est-il ? Un garçon. Mais pas n'importe lequel. Peut-être le garçon que vous êtes au fond de vous, mais que vous n'osez pas vraiment être de peur que l'on se moque de vous et de vos goûts de fille !

Au moment où votre identité masculine se forge, à l'adolescence, vos goûts personnels ne correspondent pas toujours à ceux de vos copains. Vous aimeriez peut-être devenir danseur, sage-femme, coiffeur, styliste, puéricultrice, c'est-à-dire exercer plus tard un métier plus souvent occupé par des femmes. Mais pour faire bonne figure, pour passer pour un vrai mec, il se peut que vous choisissiez alors de ne pas montrer aux autres qui vous êtes vraiment. Vous dites que vous voulez devenir ingénieur informaticien ou pompier. Vous jouez au foot sans plaisir, vous regardez des films de brutes en masquant votre ennui, vous gardez vos angoisses et vos doutes pour vous comme un homme doit le faire. Le regard des autres garçons et des hommes adultes peut inciter n'importe quel garçon à ne pas être lui-même, à ne pas exprimer ce que l'on appelle aujourd'hui son « côté féminin », pour ne pas décevoir, voire choquer, ses proches.

Qu'est-ce que c'est que ça, le côté féminin ? On va dire que c'est tout un tas de qualités que l'on attribue plus facilement aux filles qu'aux garçons, même si tous les garçons en sont plus ou moins dotés, et même si les filles n'en sont pas toutes pourvues à forte dose. Des exemples ? La capacité à laisser exprimer sa sensibilité, ses émotions et ses sentiments, la capacité à comprendre le fonctionnement du cerveau humain (la psychologie), à être doux, tendre, à parler de ses soucis, ses angoisses, ses doutes, sa fragilité, etc.

Chez les garçons, montrer son côté féminin, ou même simplement l'accepter, est une épreuve vraiment difficile. Vous avez peur de ne pas faire mec en étant tendre ? Vous avez peut-être aussi peur de faire homo ? Si vous avez peur que l'on vous traite d'homo parce que vous aimez bien la compagnie des filles, par exemple, dites-vous d'abord que ceux qui vous traitent d'homo ou de pédé sont des pauvres types intolérants que vous n'avez même pas à écouter.

Si vous aimez discuter avec les filles, c'est plutôt le signe que vous êtes plus mûr que les autres garçons, plus mûr que ceux qui traitent les autres garçons d'homo! Cela veut dire que vous êtes à l'aise avec les personnes de l'autre sexe, et que, malgré vos différences, vous êtes capables de dialoguer ensemble. Vous avez envie de les comprendre, et sûrement aussi de les charmer d'une façon plus subtile que beaucoup d'autres garçons qui ne les abordent, par exemple, que lorsqu'ils sont en bande. Avoir une sensibilité proche de celle des filles, c'est un atout extraordinaire pour devenir leur meilleur ami. Parfois, vous aimeriez bien être un peu plus que ça, mais ne vous inquiétez pas. Souvent, à force de comprendre à quel point son meilleur ami est génial, elle craque pour lui après quelques mois, ou quelques années, d'une amitié pure et dure. Parfois non, mais ce n'est pas grave : autour d'elle, il y a ses copines qui vous regardent sûrement d'un autre œil qu'elle.

Finalement, l'important, pour se sentir bien dans sa peau, c'est d'exprimer sa vraie personnalité, d'être en accord avec celui qui est tout au fond de soi. Un homme en harmonie avec lui-même, c'est un homme qui n'a pas honte d'être lui-même, qui n'a pas peur de choisir ses amitiés chez les femmes ou de travailler dans un milieu professionnel très féminin. Quitte à faire vivre son côté féminin sous le regard des autres hommes à l'esprit un peu étroit.

« J'ai envie de sauver la planète à moi tout seul!
– Normal, t'es un mec! »

Les héros

Vous êtes-vous déjà posé cette question : pourquoi aimez-vous autant les super héros? Vous savez, les gars qui sauvent la planète à eux tout seuls ou qui remplissent avec succès les missions les plus méga dangereuses… Non? Pourtant, ça vaut le coup de répondre à cette question, car elle vous permettra de mieux comprendre ce que c'est que d'être un garçon.

Pour trouver cette réponse, analysons un super héros de base. En général, il est beau, grand et bien bâti. Premier élément de réponse à votre fascination pour lui : vous qui doutez sans arrêt de savoir comment va finir votre puberté (beau ou pas, grand ou pas, bien fichu ou pas), vous rêvez d'être comme lui, donc vous vous projetez facilement dans sa peau. Identification réussie.

Ensuite, notre super homme a toujours un talent hors du commun : soit il est très fort physiquement, soit il sait mieux que personne utiliser une mitraillette, un poignard, une épée laser, soit il a un super pouvoir (vision à travers la matière, télépathie, don pour la magie, intelligence XXL, etc.). Et grâce à ce talent hors norme, doublé d'un courage sans faille, évidemment, il s'en sort toujours bien. Là, il a ce qui manque à nombre de gars à l'adolescence : la force, la puissance, le courage aussi, pour agir sur les choses et s'en sortir avec les honneurs à chaque fois.

Un exemple? Rien que pour vous défendre dans la cour du collège, vous aimeriez bien avoir ce petit plus de force et de courage, pour coller un bon marron à cette brute qui vous tyrannise, comme votre héros se débarrasse des vilains, des méchants et des monstres.

Poussons notre enquête encore plus loin. Votre super héros favori a une chance inouïe : il sait où il va. Comment ça? Oui, lui, il a une mission très claire : sauver une prisonnière, empêcher une bombe de réduire la planète en cendres, trouver un trésor sur une île déserte. Or, vous, c'est un peu l'inverse. Dans votre tête, vous ne savez pas vraiment toujours où vous allez, pas vraiment quelle est votre mission sur Terre.

Quel métier je vais faire plus tard? À quoi je sers sur cette planète? Quand est-ce que je vais rencontrer le grand amour? Pour vous, c'est encore le brouillard, alors que votre héros, même dans la purée de pois la plus infâme, sait, devine ce qui l'attend, car tout est programmé. Vous? Rien n'est fait. Vous devez définir chaque jour un peu mieux vos objectifs de vie. Vous avancez à tâtons, lui fonce tête baissée vers l'avenir.

Ajoutons enfin que votre héros favori sait affirmer ses opinions sans peur du qu'en-dira-t-on. Il n'a pas honte de penser ce qu'il pense et de le dire tout haut. Vous? Pas tellement. Vous aimeriez tant, justement, impressionner les autres, les filles surtout, avec de belles idées originales, de belles pensées profondes comme le Grand Canyon. Hélas, quand vous avez envie de dire un truc qui ne vous paraît pas trop mal, vous vous dites d'abord : que vont en penser les potes? Le héros, lui, ses potes l'écoutent avec admiration…

Bilan de votre enquête? Votre héros préféré semble vraiment différent de vous. C'est un modèle que vous regardez avec envie, en pensant que vous ne serez jamais comme lui…

En fait, vous l'ignorez, mais vous n'êtes pas vraiment différent de lui. Regardez bien les X-men, Spiderman, Hulk, tous ces jeunes sorciers (Harry Potter et ses amis) et ces vampires qui vous fascinent. Souvent votre super-héros est un mutant, c'est-à-dire un être entre deux vies, deux apparences, deux identités, qui subit de temps en temps une métamorphose qui le transforme, ou qui a subi une métamorphose qui l'a changé à vie.

Ça ne vous rappelle rien ? Si : votre adolescence, une période de métamorphose profonde située entre l'enfance et l'âge adulte. Les super héros sont en réalité des ados, des enfants avec des pouvoirs de géants.

Tout ce qui vous fascine chez votre héros, ce sont toutes ces forces qui sommeillent en vous et se réveillent petit à petit, en particulier la confiance en soi : elle donne des ailes pour réussir sa vie. Votre corps va grandir, votre force va s'affirmer, votre courage va se développer, votre capacité à vous exprimer va décupler, vos doutes sur l'avenir vont se lever, votre cœur va rencontrer l'amour.

Le monde hostile que votre héros affronte, c'est simplement une image de la vie qui vous attend. Une vie où il faut se battre pour accomplir votre mission, trouver votre bonheur, une vie dont vous êtes le héros. Alors considérez le poster de votre super-héros accroché à votre mur de chambre comme une photo de vous, d'une certaine manière, et faites tout pour réaliser vos rêves, comme lui fait tout pour réaliser ses missions.

Vérité n°1

Un garçon qui prend des risques n'est pas un fou furieux, c'est un garçon en quête d'identité.

« J'ai la voix de Titi, j'attends
celle de Grosminet! »

Leur voix

Plongeons un instant dans le noir. Dans une salle de cinéma. D'un seul coup, les bandes-annonces se succèdent. Trois films de mecs au programme dans les semaines qui viennent : un film de guerre, un film de karaté et un film d'aventures. Tendez bien l'oreille, ces trois bandes-annonces ont un point commun : la voix off qui présente le film est d'une gravité comme on en entend peu! Une voix si caverneuse qu'on jugerait qu'elle sort directement des ténèbres. Pas bêtes, pour attirer votre oreille de gars, les maisons de production de cinéma ont compris qu'il fallait s'adresser à vous avec une voix qui vous fait vibrer, la voix d'un homme, d'un vrai.

Au moment où votre voix à vous fait plus penser à celle d'un ouistiti qu'à celle d'un ours des cavernes, ces voix de cinéma mettent dans le mille pour capter votre attention, et tout autant dans le mille pour vous filer des complexes. Un être humain sur un million a une voix comme celle des bandes-annonces de films pour gars! Quand vous entendez ces voix, style Barry White, et que vous n'avez pas mué, ça file franchement le bourdon, au point parfois de ne pas vouloir parler en public. Pourtant, il n'y a pas de quoi! La majorité des garçons ne mue pas à 12 ans, mais plutôt vers 14, 15 ou même 16 ans. Votre voix d'homme, avec laquelle vous imaginez que vous allez charmer toutes les filles, n'est probablement pas encore là à l'instant où vous lisez ces lignes, alors que vos poils, eux, si. Votre voix de mâle débarquera dans son entier quand vous aurez presque achevé votre puberté.

La mue dure un an. Sous l'effet des hormones mâles, votre pharynx s'allonge et s'épaissit. Et à l'intérieur de celui-ci, vos cordes vocales s'épaississent également. Or plus elles sont grosses, plus elles vibrent lentement, comme les cordes d'une guitare, et plus les sons qui en sortent sont graves. En un an, le timbre de votre voix baisse d'une octave. Durant cette année-là, votre voix passe subitement du grave à l'aigu et vice versa, et ce n'est pas mélodieux pour deux sous! L'autre os de l'histoire? C'est que les garçons ne commencent pas et ne finissent pas tous leur puberté à la même heure… Si jamais vos potes ont mué (on le voit à la pomme d'Adam, la partie du pharynx visible à l'extérieur, qui avance du cou comme une presqu'île), vous pouvez très bien malheureusement être la risée de la bande avec votre voix aiguë comme celle d'une fille.

Comment réagir? Fumer de gros cigares pour la corser? Mauvaise idée. La mue est un phénomène naturel et vous ne pouvez hélas rien faire pour l'accélérer. Surtout, vous ne pouvez absolument rien faire pour la changer quand votre mue sera terminée. Et il se peut très bien que votre voix d'homme ne soit pas celle dont vous rêviez. Cela fera-t-il de vous un homme moins attirant, moins séducteur? Non, bien sûr. Une voix masculine, très virile, rocailleuse, basse, est un atout pour séduire, mais à condition qu'elle tienne la route niveau conversation. Le très grand séducteur Humphrey Bogart, célèbre acteur américain des années 1930 à 1950, avait une vraie voix de canard tout éraillée. Mais il savait se servir de cette voix. Il charmait les femmes et le public avec les mots, démontrant que le contenu d'une phrase (ce qu'elle veut dire) est plus important que le contenant (la voix qui l'énonce). Alors, même si votre voix n'est pas celle d'un baryton, elle peut très bien être celle d'un grand séducteur…

« Ma fille idéale ? Blonde avec une grosse poitrine. Ma copine ? Brune avec des petits seins. »

La fille idéale

Interrogeons au hasard un garçon sur l'idée qu'il se fait de la fille idéale. Alors, elle est comment ? « Pour moi, elle serait blonde, avec des gros seins. » OK. Posons la même question à un autre garçon. « Ma fille idéale ? Eh bien, je la vois avec des cheveux plutôt blonds et avec une poitrine bien grosse. » Un autre gars ? « Si possible, j'aimerais qu'elle ait des seins assez gros et une chevelure blonde. » Tentons un quatrième garçon, on ne sait jamais. « Moi, ma fille idéale, je voudrais qu'elle soit brune. Les seins ? Ben, je n'ai pas de préférence. » Si vous pensez comme ce dernier gars-là, sachez que vous êtes l'exception qui confirme la règle !

La grande majorité des garçons rêve sûrement comme vous de sortir avec « une fille blonde à forte poitrine ». Un énorme problème surgit alors : les filles blondes représentent moins de 10 % des filles dans le monde. Et comme, en plus, la France, ce n'est pas la Suède, les filles blondes sont encore moins nombreuses en proportion dans notre pays.

Allez-vous être obligé de vous battre entre vous pour vivre une histoire d'amour avec votre fille idéale? Les filles vont-elles toutes être obligées de se décolorer en blonde pour vous plaire? Pas sûr. D'abord, pourquoi êtes-vous autant attiré par les filles blondes avec une poitrine généreuse? Disons-le, ce qui est rare est plus attirant que ce qui est fréquent. Si on trouvait des diamants au moindre coup de pioche, ils auraient moins de succès en joaillerie. Les filles blondes étant moins nombreuses, elles attirent davantage vos regards. Et la blondeur est une couleur symbolique très forte. Qui dit blondeur dit ange et fée, et donc gentillesse et douceur. En rêvant de blondeur, vous rêvez d'une certaine manière de rencontrer une fille gentille et douce. Classique.

Et les gros seins? Ça, c'est encore plus facile à expliquer. Les seins sont ce que l'on appelle un caractère sexuel secondaire, c'est-à-dire un signe physique qui marque l'appartenance à tel ou tel sexe. Pour les filles, les seins marquent fortement la féminité, comme votre barbe marque votre masculinité. Or, en tant que garçon, vous êtes attiré par ce qui vous distingue d'une fille. Plus cet attribut féminin est gros, plus ça vous attire. En résumé, votre fille idéale, c'est une princesse de conte de fées avec des atouts qui ne soient pas sa baguette magique. Précisons-le au passage : les filles blondes avec une forte poitrine ne sont pas toutes gentilles et douces et féminines. Et puis, vous verrez, vous vous détacherez bientôt de ce modèle idéal.

Ce qui sera plus difficile, en revanche, c'est de vous détacher de la fille de vos rêves au physique parfait. La fille que tous les garçons veulent, que toutes les séries télé vous mettent sous les yeux et que tous les magazines vous montrent. Autrement dit, vous voudrez bien sortir avec une fille, mais à condition qu'elle soit super belle et super bien roulée. Peu importe finalement qu'elle soit pour vous brune ou rousse ou châtain.

Sortir avec une fille au physique moyen, voire pas terrible? Jamais de la vie! En pensant comme ça, vous allez évidemment vous priver de sortir avec des filles super sympas, juste sous le prétexte qu'elles ne sont pas des top models. Ce qui vous fait peur, en fait, c'est surtout les moqueries des potes : « Wouah, t'as vu le thon avec qui il sort! Trop moche! » Alors que si vous sortez avec la plus belle fille du collège, vous suscitez leur admiration. Et cela vous renvoie une image de vous-même très flatteuse. « Si elle est belle et qu'elle accepte de sortir avec moi, c'est que je suis beau… » Aimer une fille, avec un corps parfois un peu rond, un peu maigre, avec des seins aux formes pas toujours parfaites, avec un nez pas forcément tout mignon, c'est franchement faire preuve de courage dans un monde où l'apparence tient autant de place. Si vous aimez une fille, quel que soit son physique, ne vous privez pas d'une histoire d'amour pour de mauvaises raisons. La fille idéale, c'est celle qui vous aime tel que vous êtes et que vous aimez telle qu'elle est…

« Moi et ma bande, on est trois milliards de mecs, t'as un problème ? »

La bande

Dans la vie, les garçons ont deux familles. La première : papa et maman. La seconde : la bande de potes. L'une des différences les plus importantes entre ces deux familles tient dans la façon dont vous pouvez ou non aborder ensemble des sujets de conversation anodins, comme les notes, les filles ou la nourriture. Votre père ? Il est de plus en plus oppressant et lourd, toujours à vous demander des nouvelles de vos notes ou de votre petite copine. Votre mère ? Quand elle vous explique le matin, tout en mordant dans sa biscotte, que c'est pas bien de partir au collège l'estomac vide, vous avez envie de lui dire les pires méchancetés. Alors qu'avec votre bande de potes c'est pas pareil du tout. Ils peuvent bien se moquer de votre deux en histoire-géo, de votre dernier râteau avec Margot ou bien manger bruyamment comme des cochons sous votre nez, ça ne vous dérange pas le moins du monde. Au contraire ! Le plus souvent, c'est super poilant ! Parfois non, mais vous la jouez « mec cool », pour garder la face et ne pas passer pour un mec incapable de prendre sur lui les super vannes des potes… Vous supportez donc de vos amis ce que vous trouvez intolérable chez vos parents. Êtes-vous quelqu'un d'horrible pour autant ? Non ! À l'adolescence, on a besoin de prendre ses distances avec ses parents, besoin de couper le cordon. Alors tous les prétextes sont bons pour leur faire comprendre qu'ils doivent vous laisser en paix : chambre en désordre (marquage du territoire), hygiène approximative (odeur forte pour les éloigner), chevelure hirsute ou piquante (idéale pour les faire reculer), panneau « sens interdit » ou « défense de stationner » sur la porte de la chambre, etc. Bref, vous voulez que votre famille vous lâche les baskets. Et vous vous rapprochez comme jamais de vos potes !

D'où vient ce besoin de vous éloigner de vos proches ? Réponse : c'est une façon de mieux savoir qui vous êtes. Depuis plus de dix ans, on vous rabâche que vous ressemblez à papa ou à maman, soit physiquement pour ceci, soit psychologiquement pour cela, mais cela ne suffit pas à vous définir. Les transformations physiques et psychologiques qui vous habitent vous crient que vous êtes plus que cela, que vous êtes autre chose qu'un puzzle constitué de parties prises à papa, maman, papy, mamy, tonton, et j'en passe. En fait, vous prenez le large, comme un aventurier, à la recherche d'un trésor caché, à la recherche de vous-même. Qui suis-je ? Question très importante à laquelle vous avez besoin de répondre à cette période de votre vie en particulier, période de quête de votre identité. Alors vous partez. Seul? Ben non. Ça fait trop peur. Vous n'avez pas l'âme d'un solitaire. Vous partez à la découverte de vous-même avec les copains.

Même âge, même langage, mêmes vêtements, mêmes goûts musicaux, mêmes soucis avec la puberté, mêmes interrogations sur les filles et l'amour… Votre groupe de copains, c'est votre seconde famille, un groupe de semblables, des garçons qui comprennent vraiment ce qui vous arrive, car il leur arrive la même chose. Mais au sein de votre bande, même si vous vous habillez pareil, pour avoir une identité de groupe, vous savez tous que vos personnalités n'ont rien à voir. Et c'est justement l'un des rôles importants de la bande : vous aider à mieux savoir qui vous êtes en vous frottant à d'autres personnalités. Ainsi, votre bande vous permet de vous reconnaître (je suis comme les autres) et en même temps de vous distinguer (je suis différent d'eux). Elle vous permet de mieux dessiner les contours de votre personnalité !

Votre groupe de copains a un autre rôle important : à un moment où vous vous sentez fragile, vulnérable, avec tout ce chambardement intérieur et extérieur, à un moment où la confiance en soi vous manque tant, il vous donne la force d'affronter le monde. S'exposer seul, ce n'est pas évident.

L'union fait la force. Au sein de la bande, dans toutes les circonstances, l'un d'entre vous prend les devants, et les autres suivent et en profitent. Car chaque membre a un rôle dans lequel il se sent bien et pour lequel il est reconnu par les autres. Avec les filles, c'est le lover du groupe qui entraîne tout le monde. Il a le don pour engager la conversation avec elles, pas les autres. Le comique de service, lui, sait toujours mettre une bonne ambiance, avec ses vannes qui tuent. L'intello du groupe relève le niveau des conversations : il sait parler d'autre chose que de sport, de jeux vidéo et de filles… Et quand il s'agit de tenter un truc risqué, style descendre à fond les ballons une piste noire, c'est le risque-tout de la bande qui pousse tout le monde à l'imiter. Grâce à lui, vous osez vous dépasser !

Le seul vrai danger de la bande est d'ailleurs là : en groupe, vous vous sentez fort, protégé, invincible, capable de braver les interdits, c'est-à-dire de faire des choses interdites (par vos parents, la société, vous-même), alors que seul, vous ne les auriez jamais faites. Mais une fois les bêtises accomplies, ce n'est pas la bande qui prend, c'est chaque membre qui paie sa note à lui.

Si votre groupe de potes fonctionne bien, vous devez vous y sentir libre, libre d'être vous, libre de parler, libre de dire « oui » aux trucs cool, de dire « non » à des trucs pas cool dont vous ne serez pas fier plus tard (voler, casser, tabasser, se droguer, etc.). Car le plus dur dans une bande, c'est évidemment de conserver, de défendre son identité, en se battant parfois contre l'influence des autres, en luttant de toutes ses forces contre la pression du groupe. Il y a des choses que vous devez refuser de faire, pour rester fidèle à vos propres valeurs. Des valeurs qui vous viennent souvent de vos chers parents avec qui il est si difficile parfois de simplement parler au petit déjeuner…

« Paul, tu crois qu'un garçon qui pleure, c'est une femmelette ?
– Je... snif... sais pas... snif... »

Les larmes

Dans la vie de tous les jours, il existe des tas de situations où un garçon s'interdit de pleurer. Commençons par le cinéma. Un orphelin, après avoir vécu mille malheurs plus horribles les uns que les autres, finit par être adopté par une famille formidable ? Vous vous défendez d'éclater en sanglots devant votre sœur qui, elle, pleure à chaudes larmes sans vergogne. Passons au stade de foot. Votre équipe favorite vient de gagner le tournoi du siècle ? Pas possible de verser la moindre larme de joie devant 40 000 personnes ! Terminons au collège. Un chagrin d'amour vous fend le cœur en deux ? Impensable de se soulager les paupières avec les copains, qui attendent de vous que vous vous comportiez en héros !

Aujourd'hui encore, « Pleure pas, si t'es un homme ! » est une devise toujours aussi présent dans les esprits. Pourquoi les garçons n'ont-ils pas le droit de pleurer aussi souvent et aussi fort que les filles ? La première raison, c'est que vous êtes sans doute le premier à vous l'interdire. Pleurer devant les autres, les parents, les frères et sœurs, les copains, la petite copine, c'est la honte ! C'est à coup sûr passer pour une fille ! C'est aussi passer pour un garçon qui n'a pas la force de contrôler ses émotions comme un vrai mec ! Bref, pleurer, parce que l'on est triste, que l'on a mal, que l'on est heureux, c'est montrer que l'on est faible.

En fait, malgré les progrès effectués question égalité des sexes, il reste des domaines où les mentalités n'ont pas beaucoup évolué. Les garçons d'aujourd'hui sont encore élevés en garçons d'hier, c'est-à-dire que pour la plupart des parents un garçon ne pleure pas, et surtout pas pour rien. Les garçons n'ont toujours pas le droit d'exprimer leurs émotions comme les filles. Alors vous avez appris à rester fort, à serrer les poings dans la tempête, à ne pas exprimer cette douleur qui vous habite ou cette émotion qui vous submerge sous forme de larmes. Et quand des larmes viennent malgré tous vos efforts pour les contenir, vous les cachez aussitôt. Vous demandez immédiatement que l'on vous « fiche la paix » et vous prenez la fuite pour trouver un coin tranquille où vos larmes couleront à l'abri des regards indiscrets. En fait, les seuls moments où les garçons se donnent le droit de pleurer, c'est quand un décès survient dans leur famille ou quand leurs parents se séparent, par exemple. Là, c'est tellement grave que personne ne peut se permettre vous juger, pensez-vous.

Le pire, c'est qu'à l'adolescence vous êtes à fleur de peau. Avec votre corps et votre personnalité en plein chambardement, vous vous sentez fragile et tout vous touche profondément. Une réflexion idiote sur votre tenue, une sale note en maths ou une moquerie sur vos boutons peut vous atteindre en plein cœur et surtout vous donner envie de pleurer. Mais ça, pas question. Vos larmes sont interdites de sortie.

Alors pleurer, quand on est un garçon, c'est la honte ? Non, ce n'est pas la honte. Pleurer, c'est d'abord se soulager. Votre peine passera mieux si vous l'exprimez avec des larmes. Votre joie sera plus belle si vous la signez avec des larmes. Votre colère sera apaisée plus vite et plus profondément si vous l'accompagnez de larmes. Pleurer, ce n'est pas être faible. Les grands héros grecs de la mythologie, de sacrés hommes franchement, tueurs de monstres comme Hercule, guerriers valeureux et courageux comme Achille ou Ulysse, pleuraient après chaque bataille, pleuraient leurs amis ou leur frère perdus au combat. Ces grands héros n'en sont pas moins des hommes ! Et pleurer devant les filles, ce n'est pas nul ! Elles qui souvent versent des tonneaux de larmes sont heureuses de constater que « leur homme » est capable d'exprimer ses émotions (de temps en temps) de la même façon qu'elles. Eh oui, pleurer, c'est-à-dire accepter de fendre l'armure et de montrer sa fragilité, son côté humain, c'est touchant et séduisant. Alors pleurez, les gars, vos larmes font aussi partie de vos armes pour montrer que vous êtes un homme.

> « Eh ! dis, sœurette, comment on fait pour plaire aux filles ?
> — Apprends à jouer de la guitare ! »

Leur sœur

Avez-vous une sœur ? Oui ? Alors vous pouvez lire la suite. Non ? Vous pouvez quand même lire la suite et vous comprendrez pourquoi à la fin. Partons de l'idée que vous en avez une. Vous n'en avez pas forcément conscience, mais vous avez la chance inouïe de côtoyer un trésor inestimable, pratiquement 24 heures sur 24 ! Un trésor ? Non, mais sans blague ! Eh ben, si ! Votre sœur appartient au continent si mystérieux, si intrigant, si étrange, si attirant, si inconnu des filles. Et vous pensiez que c'était juste votre sœur, une chipie qui fait des caprices, une maîtresse d'école en devenir qui fait tout mieux que vous, une harpie qui vous dit sans arrêt quoi faire ! Vos sempiternelles disputes avec elle vous ont sûrement empêché de comprendre cette chose élémentaire pourtant : votre sœurette est un trésor à découvrir !

Le plus gros obstacle à vaincre pour s'en apercevoir ? Cette idée toute faite : vous êtes un garçon et vous vous dites que votre sœur, étant une fille, ne peut pas vous comprendre. Et la réciproque est souvent vraie. Finalement, vous vivez sous le même toit, et vous pouvez très bien avoir l'impression de vivre en étrangers l'un pour l'autre, pour ne pas dire en ennemis parfois. Pourtant, c'est peu de dire que vous auriez des choses à échanger.

La première d'entre elles, pour vous, ce serait de pouvoir découvrir et comprendre ce qu'est une fille. Par exemple, les filles n'ont pas le même vécu que vous au niveau de leur corps. Un jour ou l'autre, leurs règles déboulent dans leur vie. Elles deviennent capables d'avoir des bébés, et tous les mois du sang coule de leur corps. Tout ça, vous ne pourrez jamais le vivre. En revanche, si vos rapports avec votre sœur sont détendus et complices, vous pourriez parler de ce sujet avec elle, un sujet omniprésent dans leur esprit. « Tu sais, ce qui est gênant parfois pour une fille, c'est que son copain veut toujours la tripoter un peu partout. Certains jours, on n'en a vraiment pas envie ! » Plus tard, cela vous permettra d'être moins bête avec votre copine dans certaines situations…

Durant votre adolescence, votre sœur, cette chipie, pourrait être un phare féminin très utile pour vous repérer dans la brume qui entoure le mystérieux pays des filles. En particulier, elle pourrait vous donner des conseils question vêtements, pour que vous ne partiez pas le matin au collège habillé n'importe comment. Au jour le jour, votre sœur pourrait également vous servir de modèle. Elle est sûrement mieux organisée que vous, elle sait aussi mieux exprimer ses sentiments, elle parle plus aisément et moins vulgairement, elle sait souvent mieux séduire les garçons que vous les filles. Comment pouvez-vous encore vous priver de tout ça?

Le plus étrange, c'est que, peut-être, vous savez tout au fond de vous que votre sœur est précieuse, sans toujours oser l'avouer, sans toujours faire ce qu'il faudrait pour que vos rapports soient plus riches. Si ce n'est pas le cas, il suffirait pour vous en convaincre une bonne fois pour toutes de poser cette question à l'un de vos copains qui, lui, n'a pas de sœur, le pauvre. Il vous dirait sûrement : « Tu connais Margot, ma meilleure amie fille, eh bien, je la considère comme ma sœur, la sœur que je n'ai pas eue. Avec elle, je peux parler de trucs dont on ne parle pas avec les potes! Ça me fait du bien. » De votre côté, vous pourriez lui parler, si ça l'intrigue, de choses que les garçons vivent… Vous avez le choix.

« Garçon au physique de moucheron et dents de lapin cherche fille aimant la nature »

La séduction

Pour séduire les filles, vous n'avez pas tous les mêmes atouts. Certains sont beaux, d'autres moins. Mais surtout, au-delà de la beauté, à l'adolescence, les garçons ne font pas tous autant mec les uns que les autres. Explication? Certains d'entre vous, à 13 ou 14 ans, sont du genre grand, épaules larges, beaux pectoraux en haut, splendide tablette de chocolat en bas, voix caverneuse à souhait, sourire XXL style clavier de piano, regard mystérieux, démarche d'homme, un vrai cow-boy. Les filles en sont folles. Pour d'autres, c'est tout le contraire : petit gabarit, bras salsifis, jambes version bigoudis, musculature de ouistiti et voix de Bambi. Les filles n'en sont pas dingues.

Que se passe-t-il? Une chose toute bête : tous les garçons ne démarrent pas en même temps leur puberté, c'est-à-dire que physiquement et psycho-logiquement vous n'êtes pas tous mûrs en même temps, y compris pour séduire. Les filles sont très sensibles aux signes qui font homme, signes mas-culins dont le cow-boy est doté, sans en avoir conscience puisqu'il croit avoir la recette qui tue pour séduire : « Tu lui dis qu'elle est belle et qu'elle sent bon, et puis hop c'est dans la poche… » Si William a eu ses premiers poils de barbe à 12 ans et Victor à 14 ans, il y a de fortes chances que le premier plaise plus tôt aux filles. Car ces demoiselles sont les premières à percevoir les signes de votre métamorphose masculine. Si vous en doutez, demandez-vous pourquoi elles ont souvent envie de sortir avec des garçons qui ont un, deux ou trois ans de plus qu'elles… Commençant leur puberté deux ans avant vous, elles cherchent des garçons qui sont au même stade qu'elles !

Dans la cour du collège, question séduction, les résultats sont là. Le cow-boy, même sans son cheval, fait tomber toutes les filles. Il joue le mystérieux de l'Ouest, c'est-à-dire qu'il ne dévoile pas qui il est, d'où il vient, ce qu'il fait, où il va ou ce qu'il aime. Pour séduire, il sait que c'est en premier l'apparence qui compte, ce que l'on dégage, son allure, son style, et ce que les autres (les filles) imaginent en le voyant… Elles ne lui ont jamais adressé la parole, mais il a l'air « trop super sympa… » Il les électrise avec son regard aguicheur, les fait rougir avec ses clins d'œil coquins et les fait fondre avec son sourire ensorceleur.

L'autre ? L'anti-cow-boy ? 95 % des garçons se retrouvent en lui. Il se sent désarmé avec son physique de moucheron. Les filles ? Elles ne le voient pas. Pourtant, il fait des efforts pour les séduire. On lui a dit mille fois que ce qui comptait, c'était de jouer sa carte à lui, avec sa personnalité à lui. Il est drôle? « Fille qui rit, à moitié ta petite amie. » Mais son humour pipi-caca-prout n'a pas l'effet d'un gaz hilarant sur les filles. Il est gentil? Il porte le sac à dos, prête un stylo, offre un pain au chocolat?… Il passe pour un pot de colle, autrement dit un épouvantail à filles. Il joue le confident, le meilleur ami à qui l'on peut tout dire? Souci : elles ne lui parlent que du cow-boy qui les fait rêver. Il écrit des poèmes et des chansons sublimes? Problème : sa façon de se décrire en héros poussiéreux dans ses textes fait penser au cow-boy, son rival. Il fait dans les compliments? Là, il se plante : « Moi, j'adore tes petits bourrelets! » Dernière solution : il pense tuer le cow-boy. Cette solution n'est évidemment pas envisageable.

Pourquoi ça ne marche pas? Parce que la recette de la séduction qui marche à tous les coups n'existe pas. Pourtant, vous pensez tous qu'il existe des recettes qui marchent. Comment tu fais, toi? Comment il fait, lui? Dans le cerveau des garçons, il manque en réalité une information de la plus haute importance pour comprendre les filles! Elles sont les championnes toutes catégories du jeu de la séduction ; le jeu du chat et de la souris (je m'approche, je m'éloigne, je suis douce, je suis froide, je t'appelle, je ne t'appelle plus, etc.). Et souvent, aujourd'hui, elles sont les chats, elles mènent le jeu. Pour elles, séduire est un jeu génial, plaire est une passion, et elles n'ont pas forcément envie de conclure à chaque fois, autrement dit sortir avec le garçon qu'elles séduisent depuis des semaines. L'important, pour elles, c'est de vous faire craquer ou d'imaginer que vous craquez pour elles... Sortir avec vous ? C'est prendre le risque que le cow-boy qu'elles imaginent ne se transforme en pot de colle ! Et au jeu du chat et de la souris, du froid et du chaud, la plupart des garçons se disent que les carottes sont cuites dès que ça devient froid, et ils laissent tomber. Erreur ! Il faut continuer et être patient. Patient, dans le sens où le chat finit par craquer à son tour pour la souris, à force de jouer avec elle. Et patient à plus long terme…

Pour ceux qui ne sont pas encore des cow-boys, dites-vous que bientôt vous allez devenir un homme à coups d'hormones (la testostérone, une substance fabriquée en particulier par vos testicules), et bientôt vous séduirez les filles, presque malgré vous. Et en vous intéressant au monde des filles (en étant le gentil, le confident, le poète, etc.), vous apprendrez à les connaître, et vous serez un immense séducteur à la sortie de l'adolescence…

Le cow-boy ? Lui sera fatigué, et surtout fatigant : il utilisera toujours la même recette de séduction, « tu lui dis qu'elle est belle et qu'elle sent bon, et… » Les filles s'en seront franchement lassées !

Vérité n°2

Un garçon qui ne se lave pas n'est pas un cochon, c'est un garçon qui montre à ses parents qu'ils doivent se tenir à distance de lui.

« Tu le fais, toi ?
– Matin, midi et soir ! »

La masturbation

C'est un fait : depuis que vous êtes tout petit, vous passez votre temps à vérifier qu'il est bien là. C'est un autre fait : depuis le début de votre puberté, vous passez votre temps à vérifier qu'il fonctionne bien. Qui ça, « il » ? Votre pénis, bien sûr. Les petits garçons considèrent leur bistouquette comme un élastique et jouent avec le plus naturellement du monde. À l'adolescence, les garçons jouent avec leur élastique, mais d'une façon très différente.

Vous avez découvert que vous caresser le sexe pouvait vous procurer du plaisir. On appelle ça se masturber. Et ce plaisir intense, qui s'accompagne de l'éjaculation, c'est-à-dire de l'émission de sperme, est appelé orgasme ou jouissance.

Environ 95 % des garçons se masturbent à l'adolescence (contre environ 30 % des filles). C'est pour vous un moyen de vous procurer du plaisir, bien sûr, mais aussi de vous apaiser, de faire baisser la tension, de pouvoir parfois mieux vous endormir ou de pouvoir simplement vous changer les idées.

Saviez-vous, par exemple, qu'entre l'âge de 13 et 15 ans, sur vos huit heures de sommeil, vous passez près de trois heures en érection? Et pendant la journée, cela vient aussi très facilement. D'où vient ce besoin? Principalement de l'hormone mâle appelée testostérone. Cette hormone a un effet si puissant que même si vous ne vous masturbez pas, il peut arriver que vos testicules se vident d'elles-mêmes la nuit. Ces éjaculations nocturnes ne doivent pas vous effrayer. Même si on les appelle d'un nom horrible (les « pollutions »), elles n'ont rien d'horrible. Elles montrent simplement que tout votre corps de garçon se met en marche. Ne l'oubliez pas, un jour, vous serez un homme, et l'une de vos missions, si elle vous intéresse, sera de faire des enfants avec une femme, et cela grâce aux spermatozoïdes contenus dans votre sperme. Votre testostérone prépare donc le terrain de votre future fertilité en déclenchant vos érections.

Mais la testostérone n'est pas seule responsable dans cette affaire. Votre imagination y est aussi pour beaucoup. Durant l'adolescence, en même temps que votre corps d'homme se met en place, votre imaginaire érotique se développe. Le soir surtout, vous pensez aux filles, aux femmes, à votre copine, vous imaginez tout ce que vous aimeriez faire ensemble, les baisers, les caresses, etc. C'est une façon de s'exciter soi-même qui est naturelle. Pas de panique. Alors si vous vous demandez si se masturber est normal, sachez que la réponse est oui. Et si vous vous demandez si ça se voit sur votre visage que vous vous êtes masturbé (une question qui hante beaucoup de garçons dans les minutes qui suivent cette pratique solitaire), la réponse est non. Vous avez simplement un peu honte. Vous vous sentez peut-être un peu coupable de faire ça ? Vous vous dites que c'est malheureux d'en arriver là ? Vous pensez que, normalement, c'est en faisant l'amour avec quelqu'un que l'on a droit à ce plaisir ? Sachez d'abord que vous masturber est une étape naturelle de votre sexualité, une étape par laquelle tous les hommes passent. Vous découvrez votre corps, et les sensations qu'il peut vous donner seul, avant de les découvrir à deux. En apprenant à vous connaître, vous serez plus à l'aise le jour J, quand vous serez avec votre copine dans quelques années.

Et puis, si vous ne le faites pas, ou pas encore, pas de panique. La masturbation, même si elle est très répandue chez les garçons, n'est pas obligatoire… En revanche, elle doit toujours rester intime. Elle fait partie de votre jardin secret. Dire à une fille ou à vos proches que vous vous masturbez pourrait les mettre mal à l'aise. Tout le monde est au courant, mais on ne vous a rien dit… Votre mère, par exemple, s'est sûrement rendu compte que vos draps étaient tachés. Elle ne vous en a pas parlé pour ne pas vous gêner. Il est plus facile d'en parler entre hommes, avec les copains bien sûr, et avec votre père, si votre complicité avec lui est importante. Si vous avez des questions, il y répondra. Il est sûrement passé par là…

MON MEILLEUR AMI ET MOI, ON S'EST CONNUS À L'ÂGE DE 11 ANS... ON NE S'EST PLUS QUITTÉS...

ON A MONTÉ UNE BOÎTE ENSEMBLE...JE VIS AVEC SON ANCIENNE COPINE ET LUI A ÉPOUSÉ MON EX...

« L'amitié virile, c'est quand t'es un ami et que t'es poilu ? »

Leur meilleur ami

Dans l'immense foule de vos copains, qu'est-ce qui distingue votre meilleur ami de tous ces autres gars avec qui vous aimez délirer, « vous marrer », jouer au football ou tuer des monstres sur votre console ? Aucune idée ? Un premier indice : vous partagez ensemble vos secrets.

Eh oui, vous dites à votre meilleur ami ce que vous ne diriez ni à vos parents, ni à votre frère, ni à votre chat. Et c'est pareil pour lui. C'est le seul à qui vous pouvez confier en toute confiance ce secret par exemple : « Un jour, chez ma grand-mère, j'ai testé une prise de karaté sur un pauvre poulet et je l'ai tué. J'ai super honte, je m'en veux encore. Tu ne le dis à personne, hein ? » « Promis, juré, craché, vomi, si je le dis, je suis maudit. »

OK, votre meilleur copain est votre confident, et il est différent en cela de vos autres copains. Mais par rapport à vous ? Il est plutôt comme vous ou différent de vous ? Il arrive que votre meilleur pote vous ressemble énormément, que vous ayez beaucoup de passions en commun, les mêmes goûts, la même sensibilité, le même parcours familial, etc. Tous ces points communs font que vous vous adorez et que vous aimez être tout le temps ensemble.

Mais franchement, la plupart du temps, votre meilleur ami est... différent de vous, vraiment différent (parfois, c'est même une fille). On peut le dire autrement : il est votre complément. Votre meilleur ami a ce que vous n'avez pas et vice-versa. Un scooter ? Non. Il a une personnalité très différente de la vôtre. Vous en doutez ? Regardez-le de plus près si vous l'avez déjà rencontré ou essayez de l'imaginer si vous n'avez pas encore eu cette chance (il faut souvent des années avant de faire sa rencontre). Vous êtes fonceur ? Il est prudent. Vous êtes ambitieux ? Il plane un peu sur les questions d'avenir. Il est à fleur de peau, toujours prêt à dégainer les gnons ? Vous avez du sang-froid et vous savez apaiser les conflits. Vous êtes timide avec les filles ? Il a la « tchatche ».

Explication de cet étrange phénomène ? Les contraires s'attirent ? Non, c'est un peu plus compliqué que ça. À l'adolescence, disons-le, on se sent souvent incomplet, encore à la recherche de son identité. Alors on choisit un meilleur ami à qui on pique des trucs que l'on n'a pas, et réciproquement, justement pour compléter cette identité en construction... Un meilleur pote n'est pas un double, un jumeau, c'est vraiment un autre, et c'est d'ailleurs pour ça qu'il vous apporte beaucoup. Votre amitié vous enrichit mutuellement. Chose incroyable, vous acceptez ainsi de ne pas être toujours d'accord avec lui. Vous pouvez parler de tout et argumenter sans que l'un ait l'impression d'être supérieur à l'autre. Vous ne rivalisez pas bêtement, vous échangez. Vous êtes libre d'être vous-même, de dire ce que vous pensez de lui et lui de vous. Quand vous lui demandez son avis, vous attendez non qu'il vous dise forcément un truc agréable à entendre, mais un truc vrai, sincère, un conseil utile, pas du cirage de pompes.

Un exemple : vous venez de prendre une sale note en maths et l'envie d'insulter le prof vous chatouille la langue. « Je vais lui dire ce que je pense, moi, à cet abruti… » Votre meilleur ami vous calme, la main sur l'épaule : « Si t'avais bossé un peu plus, t'aurais pas eu trois… alors garde ta langue dans ton cahier… tu vas avoir des ennuis pour rien… » Quel emmerdeur ! Mais au fond, il a raison, le bougre, et vous le savez… Un meilleur ami essaie de nous faire donner le meilleur de nous-même (d'où son nom, en fait). Il tente de nous éloigner de nos mauvais penchants, il fait tout pour nous tirer de tous les guêpiers qui nous attendent. Il nous protège des autres et surtout de nous-même, comme on le fait pour lui. Le seul gros hic, c'est qu'avec un pareil ami on peut se dire : « Bah ! J'ai besoin de rien d'autre, en fait ! » Bah, si ! Votre super amitié ne doit pas vous faire vivre en vase clos, dans une bulle où personne ne peut entrer. De l'extérieur, vous pourriez faire vraiment couple, et ce n'est pas forcément un truc auquel vous pensez. Les autres garçons? Eux s'en rendront compte… Attention aux moqueries. Ensuite, même si votre entente est parfaite, discuter avec d'autres garçons ne peut que vous enrichir. C'est plus dur de parler avec eux, mais c'est plus sain pour votre équilibre. Et votre duo doit laisser aussi une place aux filles…

Quand l'un de vous tombe amoureux, un sentiment de jalousie peut envahir celui qui n'a pas de copine. Il se dit : « Il a trouvé mieux que moi! Il va me laisser tomber! » Ben, non! Une amoureuse, ce n'est pas un meilleur ami. Vous n'êtes pas en concurrence. Si vous, ou votre meilleur pote, avez cette chance inouïe de tomber amoureux, l'autre devrait être super content pour lui. N'oubliez pas que vous voulez son bonheur! Votre meilleur ami, tout comme vous, pour être vraiment heureux, a besoin de trouver le Grand Amour. Et sa copine, elle pense quoi de vous? Votre duo d'amitié ne lui laisse pas assez de place? Jalousie à l'horizon. Reculez donc de quelques pas… Et trouvez-lui une super copine en trouvant une amoureuse vous aussi…

Toute cette ouverture aux autres êtres humains ne vous empêchera pas de rester les meilleurs amis du monde… Mais à une condition. Laquelle? La plus importante pour que votre amitié dure : ne jamais trahir son ami. Dans les films, il y a souvent une scène terrible comme ça, la scène de la trahison. Chacun sent que trahir, c'est comme mourir un peu… Comment on trahit? En tuant la confiance, en trahissant les secrets, en utilisant son ami à son profit. Un exemple classique : l'un raconte les secrets de l'autre à une troisième personne. Situation typique de trahison entre potes? Pour faire rire et séduire une fille, votre meilleur ami raconte l'histoire du poulet que vous avez tué à mains nues, alors qu'il vous avait juré de ne jamais la raconter. Or un vrai meilleur ami sait que tous les secrets que vous lui avez confiés ne sont jamais des secrets ridicules que l'on peut utiliser à son profit pour faire rire une fille!

Reste alors l'ultime étape de l'amitié : être capable de pardonner une trahison. Là, c'est un long, long, long chemin qu'il faut faire en soi. Tout le monde n'a pas la force d'y arriver. L'histoire du poulet peut vous rester longtemps en travers de la gorge…

« Eh dis donc, tu les as mis où, tes muscles? Tu les as laissés chez ta sœur? Là, je t'ai cassé! »

Les muscles

Question : quel est le point commun entre Spiderman, Superman et Batman? Tous les trois ont un nom qui finit par man! Oui, d'accord, mais c'est trop facile. Tous les trois sont dotés d'un super pouvoir! Oui, d'accord encore, mais ce n'est pas la bonne réponse. Tous les trois enfilent une super combinaison moulante qui fait craquer les filles! Encore non, mais vous vous approchez. En fait, vos trois super héros ont ce point commun : sous leur magnifique combinaison moulante, ils sont équipés d'une super musculature! Muscles pectoraux, abdominaux, dorsaux, biceps, triceps, il ne leur en manque pas un! Et ça vous fait rêver.

Les muscles sont aux garçons ce que les pièces d'or sont aux pirates. Si vous n'avez jamais rêvé au moins une fois dans votre vie d'être l'homme le plus balèze de la galaxie, il est à peu près certain que vous n'êtes pas un garçon. Dans tout l'univers, les garçons regardent leurs bras, leurs jambes, leur ventre, leur cou, leur torse, et contractent leurs muscles des oreilles aux orteils à se faire exploser les veines, pour la faire ressortir, cette maudite musculature qu'ils convoitent tant. Mais la plupart du temps un constat s'impose : vos bras ressemblent davantage à des chipolatas qu'aux bras d'un rugbyman de l'équipe de France.

Alors, chaque matin, devant la glace, comme des millions de garçons, vous devinez que vous ne remporterez pas de sitôt le concours de Mister Univers, mais facilement celui de Mister Fil de Fer. Et là, ça vous pose un gros problème : pour se défendre, pour rivaliser avec les copains, pour impressionner les filles, les bras chipolatas, ce n'est pas vraiment le top, c'est plutôt le flop.

Vous ressemblez plus à Saucisse Man qu'à Superman ? Pas facile à vivre. Car vous savez bien qu'au collège ou dans la rue, ce n'est pas toujours l'intelligence et le dialogue qui triomphent. Malgré des siècles de civilisation, de culture, de philosophie, la loi qui règne sous le préau ou sur le trottoir, c'est encore souvent la loi de la jungle, autrement dit la loi du plus fort. Quant aux filles, vous le savez, une belle masse musculaire, ça leur fait de l'effet…

Votre rêve d'être musclé jusqu'aux yeux vient de là. En cas d'ennui, de bagarre qui menace, avec de beaux biscotos, vous imaginez que vous aurez les moyens physiques de vous défendre. Le muscle, c'est aussi la tranquillité garantie, une force de dissuasion qui assure la paix à ceux qui ne goûtent guère la violence. Avec les copains, c'est une bonne façon d'imposer le respect, de montrer que vous n'êtes pas une chiffe molle. Et votre chemise ouverte sur vos abdos, ça fait hurler les filles.

Une seule option s'offre alors à tous les Saucisse Man de la planète qui veulent changer les choses : travailler ses muscles. Vous pensez en premier à la musculation. Tous ceux qui en ont fait et qui ont vite arrêté vous le diront : vous vous ennuierez vite à soulever de la fonte. Et puis, à un moment de votre vie où votre squelette et vos muscles sont en pleine croissance, la musculation n'est sûrement pas le sport qui vous convient le mieux : il peut provoquer des perturbations de la croissance, car vous sollicitez trop vos tendons et vos cartilages.

Apprendre un sport de combat, alors ? Excellente initiative, mais attention : une fois que vous maîtrisez quelques techniques pour vous défendre, il ne s'agit pas de les utiliser pour attaquer le premier venu. Sinon, vous passez dans le camp des brutes, et c'est moralement inacceptable. Se mesurer aux autres, pour montrer qu'on est le plus musclé, le plus fort du collège, du département, du pays, de la planète, est naturel pour un garçon, mais tout doit se passer sur un ring, sur un tatami ou sur un terrain de rugby, avec des règles strictes, et pas selon la loi de la jungle ou du préau…

En fait, n'importe quel sport vous procurera du muscle et cette assurance qui vous manque peut-être pour marcher sans regarder vos chaussures et pour imposer le respect. Cette confiance en votre corps sera alors remarquée par tout le monde, surtout par les filles…

> « T'as déjà fait l'amour, toi?
> – Ben presque, mais j'ai pas
> encore de copine, alors... »

La première fois

Prenons une machine à explorer le temps. Direction le futur. Vous avez 17 ou 18 ans. Et vraiment la chance vous sourit : vous avez une copine, vous êtes dans votre chambre tous les deux à vous faire des bisous et vos parents sont absents, partis en week-end à l'île de Ré. Seuls au monde? Remplis de désir l'un pour l'autre? L'idée de franchir le pas, faire l'amour pour la première fois, vous vient à l'esprit… Mais il y a un gros problème : vous, le garçon, vous avez une trouille bleue de ne pas assurer comme un vrai mec. Assurer? Oui, vous avez la trouille que cela se passe mal à cause de vous. Vous avez la trouille de ne pas savoir bien faire l'amour, la trouille de ne pas être performant, la trouille de faire mal à votre copine, bref la trouille de ne pas être l'amant du siècle. Et pour cette raison, vous avez aussi peur d'être largué, jeté aux oubliettes de l'amour, parce que nul au lit comme pas deux. Retour au présent. Vous avez entre 11 et 14 ans, et aucune expérience sexuelle, probablement, comme la très grande majorité des copains et des copines de votre âge (la première fois se situe autour de 17-18 ans). En revanche, il est possible que vous vous mettiez déjà la pression question performance sous la couette, comme le ferait un « grand ». Avant même d'avoir une amoureuse, des millions de garçons s'interrogent comme vous sur leur capacité future à être un champion de la galipette, un Zidane du zizi. Or si vous commencez à avoir peur aujourd'hui de ne pas être à la hauteur, imaginez ce que vous ressentirez le jour J...

Que faire pour que cette trouille disparaisse ? Reprendre les choses dans l'ordre. D'abord, pour vous donner de meilleures chances de réussite, vous devriez penser à la scène du début, la scène de votre première fois, sans oublier d'y mettre cet ingrédient irremplaçable : des sentiments. Bien sûr, vos hormones mâles vous taquinent en provoquant chez vous, au moindre bisou ou à la moindre pensée coquine, l'apparition du désir. Bien sûr, votre curiosité, votre envie de découvrir enfin le corps d'une fille est très forte. Et puis il y a la pression des copains qui vous disent que vous êtes « encore puceau » alors que eux, non. Mais faire l'amour la première fois sans sentiments très forts, c'est souvent le meilleur moyen que ce soit la grosse cata.

Dans un lit, rien ne peut remplacer l'amour pour que votre première fois se déroule bien. Pourquoi ? Parce que quand on s'aime, on est complice. On se parle, de tout, sans tabou. Même des échecs... Vous avez droit à l'échec. Personne ne vous demande d'être un as de la galipette qui réussit à chaque fois tout ce qu'il entreprend. Si jamais vous avez une panne (pas d'érection) ou que vous « partez trop vite » (éjaculation super rapide), comme énormément de garçons très émus et stressés à ce moment-là, votre copine ne vous dira pas « Ah dis donc, qu'est-ce que t'es nul ! », mais plutôt « c'est pas grave mon amour, moi aussi j'ai les chocottes ! » Quand on fait l'amour la première fois, souvent, on est deux à ne pas savoir s'y prendre et à tâtonner : vous, le garçon, mais elle aussi, la fille. Le corps de l'autre et tous ses mystères, c'est impressionnant. Et avoir de l'appréhension, c'est normal quand on a si peu d'expérience. Alors, même si vous êtes super amoureux de votre copine et elle aussi, il se peut que vous soyez déçu la première fois, et puis parfois aussi la deuxième. Mais avec cet amour que vous partagez, vous y arriverez petit à petit. En fait, bien faire l'amour, ça s'apprend, et ça prend du temps.

Les poils

Imaginez-vous sur une plage. Soleil, vagues, sable, crème solaire et poils. Poils? Oui, là, à côté de vous, sous son parasol, votre père se fait napper le dos de crème par votre mère, et un constat s'impose : il est poilu, et surtout il est bien plus poilu que vous. On dirait qu'il a un manteau de vison sur le dos. Atroce, carrément atroce, hurlez-vous! L'une des transformations physiques qui vous saute le plus aux yeux, et qui peut ainsi vous terrifier, c'est cette spectaculaire poussée des poils à l'adolescence. Bébé, vous aviez quelques poils par-ci par-là, mais rien de bien effrayant. Mais vers 10 ou 11 ans, la poussée de vos poils s'accélère. Ça intrigue au début, mais rapidement vous êtes content, car ça fait homme, tout le monde vous le dit! D'abord, une touffe se met à pousser sur le pubis, une zone située au-dessus du pénis. Puis les poils se développent aussi plus haut, sous les aisselles. La moustache fait, elle, son apparition vers 13 ou 14 ans et elle remplace le duvet qui couvrait votre lèvre supérieure. En même temps, ça foisonne également sur les bras, sur les jambes et parfois sur la poitrine. Un peu plus tard, la barbe apparaît. Enfin, une toison peut se mettre à couvrir votre dos et vos épaules. Là, c'est l'angoisse. Il n'est plus question d'être content : vous devenez un gorille !

Tous les garçons veulent bien devenir un homme, plus ou moins poilu, plus ou moins tôt, mais aucun n'a envie de devenir une bête ! Au début de votre puberté, pas mal d'entre vous se demandent ainsi quels risques ils ont de devenir un humain portant un manteau de fourrure au naturel ! Mauvaise nouvelle : la quantité et la localisation des poils qui vont pousser sur votre corps sont programmées dans vos gènes. La testostérone, une hormone produite en abondance par les hommes, est fabriquée toute votre vie durant. C'est elle qui encourage la pousse de votre pilosité. Or la quantité de testostérone que vous fabriquez est inscrite au cœur de vos cellules, à tout jamais, et elle est différente d'un individu à un autre… Niveau poils, c'est la génétique qui parle, et vous ne pouvez rien y faire. Retarder de vous raser ne changera rien. Si votre père et vos grands-pères étaient poilus, vous avez hérité de leurs gènes, vous serez donc très probablement poilu comme eux… Alors ça donne quoi quand ils sont en maillot de bain ? Supposons que, « malheureusement » pour vous, ça donne trois gorilles dans la famille. La peur d'être trop poilu vous assaille donc ! Mais regardons les choses en face. En fait, derrière cette peur s'en cache souvent une autre : la peur que les filles qui vous plaisent trouvent ça horrible, toute cette moquette sur votre corps, et vous boudent! « Moi, sortir avec cette touffe ambulante, jamais! » En plus, quand vous regardez la télévision et que vous lisez les magazines ados, vous constatez que les poilus ont apparemment du souci à se faire. Chez les garçons et les hommes qui se pavanent sur le petit écran et dans les magazines, la mode est à l'imberbe, c'est-à-dire au chauve du corps. De quoi vous filer des complexes. Et surtout de quoi vous faire croire qu'il faut foncer s'acheter une crème à épiler, voire une tondeuse à gazon, sitôt qu'un pauvre poil pousse sur votre poitrine!

Contrairement à ce que vous pouvez penser, le poil n'est pas votre ennemi. Le poil, c'est aussi ce qui fait que vous faites viril. Viril? Ça veut dire que vous faites homme, grâce à vos muscles, votre voix, votre démarche, votre gestuelle et aussi grâce à vos poils. Les filles? Certaines aiment, d'autres moins, d'autres pas. Mais ce n'est pas un vrai critère pour être choisi comme amoureux, même sur la plage. Des filles qui n'aiment pas tombent amoureuses de vrais gorilles. Et inversement, des filles éprises de poils ont une histoire de cœur avec un garçon imberbe. Bref, restez en paix avec vos poils. Laissez faire la nature. Elle est plus forte que vous. Vous finirez par aimer vos poils. Car il y a une chose que vous oubliez souvent. Si vous avez une barbe bien épaisse plus tard, vous pourrez vous faire un look sympa : bouc stylé, moustache de séducteur, collier branché ou rouflaquettes de pirate, génial!

> « Alors, quand est-ce que tu vas lui dire que tu veux sortir avec elle?
> – Je me donne encore dix ans! »

La peur du râteau

Sur la scène des échanges amoureux, il reste un rôle que les filles jouent moins souvent que les garçons. Un rôle, pas le beau rôle d'ailleurs, que vous seriez ravis de leur laisser. Lequel? Le rôle de la personne qui fait le premier pas et demande, la voix flageolante : « Ça te dirait de sortir avec moi? » Ce sont encore les vieilles recettes de grand-mère qui ont cours en amour : les garçons proposent, les filles disposent. Les gars se lancent à l'eau tels des chevaliers et les filles choisissent de répondre « oui », « non », « j'ai envie de te dire oui, mais laisse-moi réfléchir encore un peu… ».

Et à l'instant précis où vous vous lancez, vous avez à chaque fois l'impression de passer un examen horrible, avec la peur au ventre de vous prendre le râteau du siècle : « Dégage! Non mais t'as vu la tête que tu te payes! On dirait un iguane! Comment peux-tu imaginer un millième de seconde qu'une fille comme moi sorte avec un monstre comme toi? T'es aveugle ou quoi? » On appelle ça se prendre un râteau, une veste ou un vent, et, quel que soit le nom qu'on lui donne, ça fait des dégâts sur un gars. Dégât numéro un : vous avez le cœur en miettes et l'estime de soi en berne (ce refus vous fait penser que vous êtes nul). Dégât numéro deux : vous devenez incapable d'oser dire à une autre fille que vous voulez sortir avec elle, de peur d'encaisser un deuxième râteau du siècle. Vous vous dites : « Plutôt attendre d'être vraiment super sûr qu'elle veuille bien sortir avec moi, genre dix ans, plutôt que d'avoir la honte de ma vie. » Vous vous condamnez au célibat.

Heureusement, certains d'entre vous finissent par digérer leur premier râteau. Et après quelques jours de réflexion, de débat avec les potes, pour comprendre ce qui s'est passé, vous parvenez à cette conclusion : vous n'avez pas trouvé la bonne phrase d'entrée en matière, la bonne phrase d'attaque, c'est-à-dire la formule magique qui vous fait ouvrir les bras et le cœur de la fille, tel le « Sésame, ouvre-toi! » d'Ali Baba qui fait ouvrir la grotte des quarante voleurs. Voilà où ça clochait! Nouvelles tentatives : « T'es magnifique, tu sais, et je me disais que… », « Tu me plais à fond, et je sais pas pour toi, mais moi… », « Sébastien m'a dit que tu lui avais dit que si… » Parfois, c'est même carrément impossible de savoir où vous voulez en venir : « Tu voudrais pas m'aider à faire ma rédaction ? » Malheureusement, souvent, ces phrases magiques n'ont guère plus de succès. Et un nouveau râteau, un!

Les garçons ramassent ainsi des râteaux à la pelle. Et, conséquence tragique, après une, deux ou trois tentatives infructueuses, beaucoup de garçons sont tellement habités par la trouille de se prendre de nouveaux râteaux qu'ils choisissent de rester en retrait de peur de souffrir à nouveau. Vous avez peur d'être rejeté une fois de plus? Peur que l'on vous trouve encore moche, stupide? Peur d'avoir de nouveau la honte avec les copains après un refus? Peur d'entendre pour la quatrième fois « je ne t'aime pas »? On vous comprend. Personne n'apprécie les râteaux. Pourtant, sachez que tout le monde, même le super play-boy du collège, y a droit plusieurs fois dans sa vie. Donc ça n'arrive pas qu'à vous et ça ne doit pas vous paralyser! Il faut persévérer.

Les râteaux font partie intégrante de la vie amoureuse des garçons pour une raison toute simple. Comme vous, les filles aiment séduire, aiment sentir que vous craquez pour elles, mais elles n'ont pas forcément toujours envie d'aller plus loin. Elles se disent que si vous sortez ensemble, vous allez devenir super collant ou qu'elles n'auront alors plus trop le droit de séduire tous les garçons qui leur plaisent. Séduire oui, sortir bof. Sauf si elles sont vraiment amoureuses. Et là, elles vous diront oui et feront même parfois le premier pas…

En attendant, vous devez essayer de dominer cette peur du râteau. Comment? En ayant toujours à l'esprit que lorsqu'une fille vous dit non, ce n'est pas que vous êtes une créature hideuse et idiote, mais juste qu'elle ne partage pas vos sentiments. Un « non » n'est pas un jugement sur votre personnalité, c'est juste l'avis d'une fille à qui vous ne plaisez pas ou qui vous aime bien mais ne veut pas aller plus loin que l'amitié avec vous. Et il n'y a pas de quoi lui en vouloir.

Elle a le droit de vous dire non. Il ne faut pas la coller et l'insulter après. Même si elle s'est montrée très désagréable, il faut rester digne d'un gentilhomme. Des filles à qui vous plaisez, mais qui ne vous plaisent pas ont ou auront droit à vos « non » aussi, pas vrai?

Ce qui compte, c'est de continuer à aller vers les filles, de ne pas ruminer un échec pendant des années. Vous gagnerez aux jeux de l'amour non par hasard, mais parce que vous prendrez le risque de jouer la scène du premier pas vers la fille, vous prendrez le risque d'être blessé par un nouveau coup de râteau… plusieurs fois dans votre vie! Un jour, une fille vous trouvera à son goût, n'en doutez jamais. Il faut du courage en amour! Hardis, les gars!

Un garçon qui n'aborde les filles que lorsqu'il est en bande n'est pas un lâche, c'est un garçon très timide.

« Adrénaline, c'est ma meilleure copine ! »

Les sensations fortes

L a puberté offre à tous les garçons un nouveau corps. Et ce nouveau corps est pour vous comme un nouveau jouet. Vous n'avez qu'une envie : l'essayer, et l'essayer au maximum de ses nouvelles possibilités. Car comparé à votre corps d'enfant, ce corps est plus grand, plus fort et rempli d'une énergie infinie qu'il faut évacuer à tout prix. Comment ? En poussant justement ce nouveau corps aux limites de ce qu'il peut accomplir : sauter, bondir, foncer, plonger, couler, cogner, lancer, grimper, ramper, voler, planer, etc. Votre objectif : vous procurer des sensations fortes. Et là, tout ce qui peut représenter un danger potentiel devient subitement d'un grand intérêt pour le garçon que vous êtes. Les filles se disent : « Ce mec est dingue ! Il ne va pas faire ça ? » Eh ben si !

Ah le danger ! Quel régal de l'affronter ! Pas vrai ? Alors par où commencer ? Là, chacun a sa façon à lui de voir ou plutôt de consommer le danger, de se procurer de nouvelles sensations, des sensations fortes le plus souvent. Pour frissonner, certains vont ainsi choisir de faire des sports un peu plus risqués que la pétanque ou le tricot. Des sports où ça glisse (snowboard, skate, surf, kite-surf, etc.), des sports où ça cogne (karaté, boxe, etc.), des sports où ça speede (karting, quad, moto-cross, etc.) ou des sports où ça tombe (parachutisme, saut à l'élastique, base-jump, etc.). L'objectif ici, c'est d'aller au-delà de sa peur et de prendre une bonne dose d'adrénaline, une drogue 100 % naturelle, même si elle est loin d'être sans risque. D'autres, pour se procurer de nouvelles sensations avec leur nouveau corps, vont essayer d'autres drogues que l'adrénaline. Parmi ces drogues, l'alcool et le cannabis, deux produits qui modifient vos sensations en perturbant vos sens (le sens de l'équilibre, entre autres). Là, en dépit des dangers pour votre santé, du côté interdit par la loi et par vos parents, vous essayez (pas tous, pas au même âge).

Pourquoi ce goût du risque est-il si fort ? Pourquoi le danger vous attire-t-il tant ?

En fait, à l'adolescence, vous vous cherchez, vous ne savez pas trop qui vous êtes. Vous avez alors envie de connaître vos limites. Vous allez donc chercher des sensations aux limites de ce que votre corps peut faire et de ce que votre esprit est capable de lui dire de faire. Chercher vos limites est une façon de mieux se connaître, de faire le tour de soi, le tour du propriétaire. « Moi, je suis capable de faire ça ! » Le risque que vous prenez, c'est votre signature, votre identité. Vous n'êtes plus un ado anonyme, vous êtes celui qui a vaincu la pente de la mort en snowboard ! D'ailleurs, tous les garçons n'ont pas les mêmes personnalités et donc pas les mêmes limites. Et pas la peine de devenir un trompe-la-mort pour trouver ses limites. Certains ne toucheront jamais à une planche de surf ou à un joint de leur vie, mais iront explorer une forêt la nuit avec tous ces bruits qui fichent une chair de poule de tous les ciables !

Mais affronter le danger joue un autre rôle important dans votre vie. C'est aussi une façon de vous sentir mieux dans votre peau et de vous sentir exister. Dans votre nouveau corps, de nouvelles angoisses voient le jour et vous perturbent. Vous vous mettez parfois subitement à penser à la mort, au suicide, vous vous demandez de quoi sera fait votre avenir, si on tombera amoureux de vous. Et vous ne savez pas vraiment comment évacuer toutes ces peurs difficiles à saisir, à exprimer. Or face à une falaise ou en haut d'un pont, vous avez peur du vide, une peur bien précise, bien connue de tout être humain, celle de vous écraser en bas. Vous savez donc exactement d'où vient cette peur et vous savez comment la vaincre : en grimpant en haut de cette falaise ou en sautant, un élastique aux pieds, du haut de ce pont. Si vous y arrivez, votre peur disparaît et un sentiment de triomphe vous envahit. Vous vous sentez exister très fortement en affrontant le danger. Et, l'espace d'un instant, vos autres angoisses ont disparu…

Cerise sur le gâteau : en prenant des risques, vous avez le sentiment de vous sentir plus libre. Vous prenez le contrôle total de la situation, alors que dans toutes les autres circonstances de votre vie (maison, école), ce sont les adultes qui contrôlent votre vie de A à Z. Là, pendant quelques minutes, vous êtes seul maître à bord, libre de vos mouvements. Votre vie vous appartient, et frôler la mort vous donne un sentiment de liberté incroyable, un sentiment d'invincibilité même parfois.

Tout le problème est là. Vous pouvez perdre le contrôle en faisant n'importe quoi au péril de votre vie. Prendre des risques, à l'adolescence, est sain et naturel. Réussir le challenge que l'on s'est fixé, dominer sa peur, permet de constater que l'on survit et que l'on vaut quelque chose à ses propres yeux. Et vaincre vos peurs vous permet de mieux affronter la vie qui vous attend, avec ses obstacles et ses défis à relever. Mais mettre votre vie en danger en toute inconscience n'a aucun sens. Ce n'est pas parce que l'on aime l'adrénaline qu'il faut faire le dingue en scooter sur la route, par exemple, ou rouler en étant ivre ou après avoir fumé du cannabis.

Contrairement à ce que vous pouvez penser, des études menées sur les amateurs de sports extrêmes montrent que ce sont des personnes très prudentes ! Certes, ces gars sautent dans le vide pour frissonner, mais ils conduisent leur voiture en moyenne plus prudemment que le citoyen lambda. Autrement dit, ils ne confondent pas tout. S'amuser en mesurant les risques, en étant encadré, avec du matériel top niveau, ce n'est pas la même chose que se mettre en danger par tous les moyens. Si le goût du risque vous habite, inscrivez-vous dans un club de sport, où vous serez encadré au mieux pour vivre à fond ces sensations fortes que vous recherchez, sans mettre votre vie en jeu. Le goût du risque doit aller avec le goût de la vie. Dans certaines cultures, des rites initiatiques permettent aux adolescents de passer à l'âge adulte. Ces rites sont des épreuves physiques et psychologiques éprouvantes, comme vos cascades, mais des adultes sont toujours aux côtés des garçons pour les aider à passer avec succès ces épreuves.

> « Tu sais, toi, quand il faut dire
> "je t'aime" à une fille?
> – Quand elle vient de le faire... »

Les sentiments

C la réputation qui colle aux garçons comme un vieux chewing-gum à une chaussure? Ils seraient pudiques avec leurs sentiments, plus pudiques que les filles en tout cas, de l'avis général. Traduction dans une situation concrète de la vie sentimentale : quand vous êtes amoureux, vous avez plus de mal à dire « je t'aime » que les filles. Les filles disent même qu'il faut vous « arracher les mots d'amour » de la bouche. Un vrai cauchemar pour elles, car elles attendent depuis qu'elles sont toutes petites vos déclarations de prince charmant! Vous : « Ben voilà, je voulais te dire que… enfin… bon… tu sais… tu vois ce que je veux dire… » Oui, bien sûr, votre princesse charmante voit, mais elle attend tellement mieux!

Avouer ses sentiments à une fille n'est pas facile pour vous, c'est vrai. Pourquoi cette pudeur? Il faut bien le dire, quand vous commencez à tomber amoureux d'une fille, la première chose qui vous vient à l'esprit, ce n'est sûrement pas d'aller lui glisser ce secret dans le creux de l'oreille. Rien de plus normal. Vous ne sortez pas encore ensemble. Vous ne savez pas du tout comment elle pourrait réagir ! Cette pudeur par rapport à vos sentiments s'explique en fait facilement : c'est de la prudence. Ensuite, imaginons que l'affaire se conclut. Elle a craqué pour vous. Vous sortez ensemble, vous êtes super bien avec elle, mais toujours pas question de lui dire « je t'aime ». Peut-être pensez-vous qu'un homme qui dit à une fille ce qu'il ressent pour elle laisse voir sa faiblesse, sa fragilité ? En disant « je t'aime », vous montrez qu'en dépit de vos muscles bien durs et de vos grosses blagues bien crues, un petit cœur tout mignon et tout plein d'amour bat la chamade sous votre carapace. Personne n'a à vous obliger à avouer que vous êtes amoureux.

Et personne ne peut vous reprocher d'attendre d'être sûr de vos sentiments pour déclarer votre flamme. D'abord, parce que vous n'avez pas à dire « je t'aime » à toutes les filles avec qui vous avez envie de sortir ou même avec qui vous sortez. Souvent, on sort ensemble, on a des sentiments l'un pour l'autre, on se sent bien dans les bras l'un de l'autre, mais ça ne veut pas dire que c'est le grand amour avec un grand G et un grand A. Un « je t'aime » pourrait même faire bizarre au début d'une relation où vous ne vous connaissez pas encore très bien et où votre amour demande encore à grandir. La fille pourrait se dire : « Oh ! là, là ! il va trop vite celui-là ! » En revanche, quand vous avez vraiment envie de le dire, vous n'avez aucune raison de ne pas exprimer ce que vous ressentez pour votre copine. Votre pudeur de garçon ne doit pas vous obliger à garder au fond de vous tous les mots d'amour (pas seulement les « je t'aime ») que vous avez envie de lui dire. Avouer à une personne qu'on l'aime de tout son cœur, ce n'est pas se montrer faible ou fragile, c'est être tout simplement sincère avec ses sentiments et même carrément courageux. Courageux ? Oh ça oui. Fendre l'armure pour dire l'amour, c'est dur. On a toujours un peu la trouille quand on dit « je t'aime », surtout la première fois, car on ne sait pas comment l'autre va le prendre.

Comment savoir que c'est le bon moment ? Normalement, à cet instant, vous vous sentez envahi par l'émotion, vous vous sentez bien, vous planez, vous vous sentez tout chaud et surtout en confiance… Et vous lisez dans les yeux de votre copine qu'elle attend aussi ces mots à ce moment-là. Pour elle, vous entendre lui dire tout votre amour la touchera profondément. La confiance et la complicité qu'il y a entre vous seront encore plus fortes qu'avant. Chaque fois que vous vous regarderez, vous penserez à ce « je t'aime » que vous lui avez dit et à ce « je t'aime » qu'elle vous aura aussi avoué. Et si un copain se moque de vous en disant que vous êtes amoureux, sous-entendu vous êtes fichu car elle va faire de vous son toutou, dites-vous que votre pote est sans doute jaloux de vous. Lui aussi aimerait sûrement ressentir cette envie merveilleuse de dire « je t'aime » à quelqu'un…

« À partir de combien de centimètres on est un homme ? – Dix, tu crois que ça suffit ? »

Leur sexe

Si on vous demandait quelle est la diffé-rence physique la plus importante entre vous et une fille, vous diriez certaine-ment ceci : le sexe ! Le plus bizarre, c'est que si on vous demandait quelle est la différence physique la plus importante entre vous et un autre garçon, il est probable que vous répondiez aussi « le sexe ! » En clair, vous êtes différent d'un autre garçon avant tout parce que lui en a un « grand » ou un « petit » par rapport au vôtre. C'est ainsi, la question de la taille de leur sexe a toujours préoccupé les hommes au plus haut point.

Enfant, cela ne vous taraudait pas. Mais au début de la puberté, la question de la taille de votre zigounette débarque à grand fracas dans votre vie. Quelle taille faut-il avoir au minimum pour faire homme ? Huit, dix, douze, quatorze, dix-huit, vingt-trois centimètres ? Fatalement, un jour ou l'autre, vous vous emparez d'un double-décimètre, non pour tracer un beau triangle isocèle sur votre devoir de géométrie, mais pour vous mesurer le kiki. Résultat? Vous ne savez pas trop quoi penser. Pour être un homme, croyez-vous, il faut en avoir un plus grand que ses copains, c'est tout ce qui compte!

Au collège, avec le sport obligatoire et les vestiaires en commun, les différences entre vous apparaissent au grand jour. Et, esprit de compétition masculin oblige, vous vous comparez le robinet entre vous. Celui qui en a un petit est montré du doigt et se paye la honte de sa vie! Il a une capacité à retirer son slip et à le remettre à une vitesse fulgurante. Il sait aussi parfaitement se déshabiller et s'habiller sous une serviette de bain sans qu'elle tombe! Celui qui fait dans le gros calibre passe pour un homme, un vrai, pour ne pas dire un héros. Lui, il prend son temps, pour bien montrer à l'assemblée qu'il est un mec bien pourvu.

Et vous, vous passez pour qui? Plutôt « zizi de moineau » ou plutôt « zizi d'hippopotame »?

À votre âge, cela dépend avant tout de votre horloge biologique, comprenez de l'heure à laquelle sonne le début de votre puberté. En fait, pendant un certain nombre d'années, la taille des uns et des autres est surtout liée à la précocité de la puberté ou à son retard. Explication : avec le début de la puberté, la production de testostérone explose. Cet afflux d'hormones mâles provoque un changement de couleur de votre sexe, passant du blanc au marron clair, ou du marron clair au noir pour ceux qui sont noirs de peau, et surtout un changement de taille. En quelques années, votre sexe rikiki d'enfant prend de la couleur et des centimètres pour devenir celui d'un jeune homme. Résultat des courses ? Si votre puberté commence tôt, vous pouvez observer le début de cet agrandissement vers 11 ans. Si, en revanche, votre puberté est plus tardive, vous gardez alors plus longtemps que les autres votre bistouquette d'enfant.

Si aujourd'hui vous faites partie des « petits zizis », sachez que cela ne durera pas, comme les moqueries sur la taille de votre sexe. Quand on vous appelle « zizi de moineau » ou « quéquette de sardine », ça fait très mal, car ces insultes touchent à votre intimité et à votre identité masculine. Dans ces cas-là, il faut laisser dire et attendre que vos hormones fassent effet. Bientôt, votre puberté se déclenchera, vous rattraperez les autres, voire vous les dépasserez.

Tout aussi important pour garder espoir, vous ne devez pas oublier que la taille de votre sexe au repos ne donne qu'une vague idée de sa taille en érection. Vous pouvez partir avec un sexe d'une taille modeste au repos, mais une fois en érection, vous pouvez très bien être dans la moyenne (environ 14 ou 15 cm une fois votre puberté achevée), voire au sommet des statistiques. Vous constaterez une chose étonnante : la taille de votre sexe n'est pas proportionnelle à celle de votre corps. Vous pouvez être une asperge et avoir un radis en guise de sexe, ou être haut comme trois pommes et avoir une aubergine pour pénis.

Cela étant dit, une fois adulte, certains d'entre vous auront finalement un sexe « grand », d'autres un sexe « petit ». Mais vous serez tous des hommes, des vrais. Des hommes dont la capacité à bien faire l'amour, votre angoisse numéro 1 dans quelques années (en moyenne, vous le ferez la première fois vers 17-18 ans), ne dépendra pas de la taille définitive de votre machin. Ce n'est pas la taille qui compte pour devenir un amoureux précieux pour les filles. Pour être bien avec un garçon au lit, elles préfèrent la tendresse, les baisers et les câlins.

Et par-dessus tout, pour que tout se passe bien, il faut être très amoureux l'un de l'autre et prendre son temps. Autant de choses qui ne se mesurent pas en centimètres.

Un garçon qui met tous les jours le même jogging pour aller au collège n'est pas un sportif convaincu, mais un garçon qui veut passer inaperçu.

Je tiens à remercier tous les garçons et les filles
qui m'ont aidé à nourrir ce livre.
Parmi eux, je tiens à saluer en particulier les trois experts
que j'ai tant cuisinés : Alexandre Ricard, un modèle de garçon
et un bel homme en devenir, pour m'avoir tant dit de lui,
Margot Lauzeral, au cœur si grand, pour avoir si bien posé
son regard féminin sur ce livre, et Arthur Pajot,
dont la pudeur a fait garder tant de secrets de garçon…

Connectez-vous sur : **www.lamartiniere.fr**

© Éditions de La Martinière,
une marque de La Martinière Groupe, Paris

Conception graphique et réalisation :
Rampazzo & Associés.

ISBN : 2-7324-3346-2
Conforme à la loi n° 49-956 du 16 juillet 1949
sur les publications destinées à la jeunesse
Dépôt légal : septembre 2005
Imprimé en août 2005 par Pollina, France-N°L96931